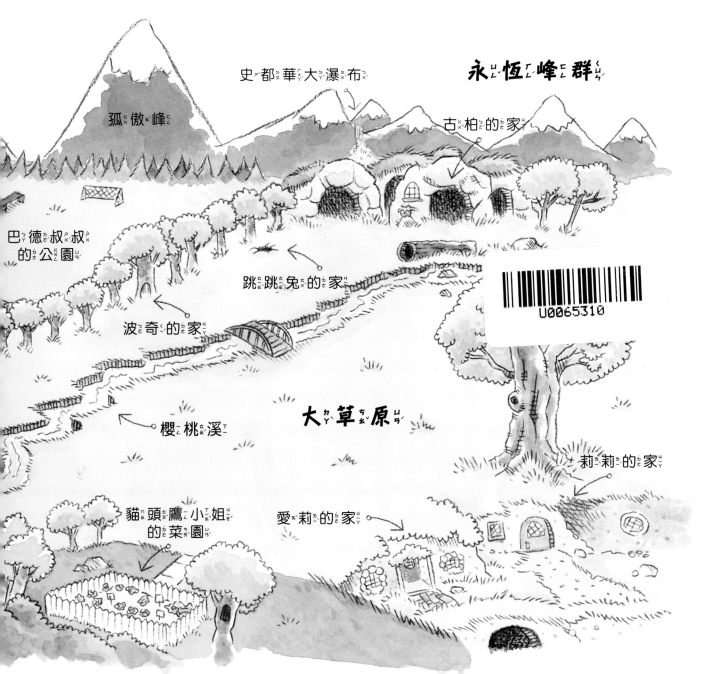

知識繪本館

幸福孩子的7個好習慣❶主動積極

我喜歡自己的樣子

文｜西恩・柯維 Sean Covey
圖｜史戴西・柯提斯 Stacy Curtis　譯｜黃筱茵

責任編輯｜詹嬿馨　美術設計｜陳宛昀　行銷企劃｜王予農

天下雜誌群創辦人｜殷允芃　董事長兼執行長｜何琦瑜
媒體暨產品事業群
總經理｜游玉雪　副總經理｜林彥傑　總編輯｜林欣靜
行銷總監｜林育菁　主　編｜楊琇珊　版權主任｜何晨瑋、黃微真

出版者｜親子天下股份有限公司　地址｜台北市104建國北路一段96號4樓
電話｜（02）2509-2800　傳真｜（02）2509-2462　網址｜www.parenting.com.tw
讀者服務專線｜（02）2662-0332　週一～週五 09:00-17:30
讀者服務傳真｜（02）2662-6048
客服信箱｜parenting@cw.com.tw
法律顧問｜台英國際商務法律事務所・羅明通律師
製版印刷｜中原造像股份有限公司
總經銷｜大和圖書有限公司　電話｜（02）8990-2588

出版日期｜2023年4月第一版第一次印行
　　　　　2024年3月第一版第三次印行
定價｜280元
書號｜BKKKC230P
ISBN｜978-626-305-438-7（精裝）

訂購服務 ─────────────
親子天下Shopping｜shopping.parenting.com.tw
海外・大量訂購｜parenting@cw.com.tw
書香花園｜台北市建國北路二段6巷11號　電話｜（02）2506-1635
劃撥帳號｜50331356 親子天下股份有限公司

國家圖書館出版品預行編目資料

幸福孩子的7個好習慣.1,主動積極:我喜
歡自己的樣子 / 西恩.柯維(Sean Covey)
文；史戴西.柯提斯(Stacy Curtis)圖；黃
筱茵譯. -- 第一版. -- 臺北市：親子天下
股份有限公司, 2023.04
32面；20.3×17.8公分. -- (知識繪本館)
國語注音
譯自：The 7 habits of happy kids : just
the way I am.
ISBN 978-626-305-438-7(精裝)

1.CST: 育兒 2.CST: 繪本

428.8　　　　　　112001730

文／西恩‧柯維（Sean Covey）

富蘭克林柯維公司的執行副總，專責教育部門。

史蒂芬‧柯維之子，哈佛大學企管碩士。致力於將領導力原則及技能帶給全球的學生、教育工作者、學校，以期帶動全球的教育變革。

他是《紐約時報》的暢銷書作者，著作包括：《與未來有約》、《與成功有約兒童繪本版》，以及被譯成二十種語言、全球銷售逾四百萬冊的《7個習慣決定未來》。

圖／史戴西‧柯提斯（Stacy Curtis）

美國漫畫家，插圖畫家和印刷師，同時也是理查德‧湯普森（Richard Thompson）連環畫《薩克》的著墨人。柯提斯（Curtis）和他的雙胞胎兄弟在肯塔基州的鮑靈格林（Bowling Green）長大，年輕的史戴西（Stacy）夢想著在這裡創作連環漫畫。

譯／黃筱茵

國立臺灣大學外文系兼任講師。國立臺灣師範大學英語研究所博士班〈文學組〉學分修畢。曾任編輯，翻譯過繪本與青少年小說等超過三百冊，擔任過文化部中小學生優良課外讀物評審、九歌少兒文學獎評審、國家電影視聽中心繪本案審查委員等。近年來同時也撰寫專欄、擔任講師，推廣繪本文學與青少年小說。從故事中試著了解生命裡的歡喜悲傷，認識可以一起喝故事茶的好朋友。

致我的女兒維多利亞（Victoria or Elle）

我愛你本來的樣子，充滿活力，主動積極。

——西恩・柯維 Sean Covey

致我美麗的妻子珍（Jann）

我愛你本來的樣子。

——史戴西・柯提斯 Stacy Curtis

幸福孩子的7個好習慣 ❶ 主動積極
我喜歡自己的樣子

文 / 西恩・柯維 Sean Covey

圖 / 史戴西・柯提斯 Stacy Curtis

譯 / 黃筱茵

7橡鎮的朋友們

豪豬波奇

跳跳兔

松鼠蘇菲

小熊古柏

臭鼬莉莉

松鼠山米

老鼠愛莉

豪豬波奇很傷心。

他每次經過水獺啃啃身邊，
啃啃都會取笑他。
「嘿，波奇！ 你身上
的刺看起來就像一
堆牙籤耶。」

波奇回家默默照鏡子。

「啃啃說得對，真的很像一根根的牙籤⋯⋯」波奇心想。

「我背上的刺真的太醜了，我不要再去上學了。」

看到波奇難過的模樣，朋友們決定要幫他加油打氣！

「我喜歡你的刺，它們很銳利。」小熊古柏首先開口。

「啃啃太過分了。」松鼠蘇菲接著說。

「過什麼？」迷糊的松鼠山米疑惑的問著。

「那樣講很無聊，你的刺又沒有怎麼樣。」蘇菲說。

「我認『威』他很沒禮『貓』。」老鼠愛莉說。

「你是豪豬呀！你身上本來就應該長刺。」跳跳兔說。

「就像我，我是兔子，本來就應該跳來跳去！」

豪豬波奇獨自到草原散步，
一邊走一邊思考著朋友們對他說的話。

他來到櫻桃溪邊停下腳步，望著自己的倒影。

波奇上下擺動背和身上的刺，
刺便隨風發出叮叮噹噹悅耳的聲音。

他‍的‍刺‍在‍陽‍光‍下‍閃‍閃‍發‍亮‍！
波‍奇‍覺‍得‍自‍己‍的‍刺‍沒‍有‍什‍麼‍不‍好‍。
「‍我‍喜‍歡‍自‍己‍……‍本‍來‍的‍樣‍子‍！‍」‍他‍心‍想‍。

第二天，波奇回到學校上課。

「你的刺怎麼全都豎起來啦？」啃啃說。

波_{ㄅㄛ}奇_{ㄑㄧ}露_{ㄌㄨ}出_{ㄔㄨ}自_ㄗ信_{ㄒㄧㄣ}的_{ㄉㄜ}微_{ㄨㄟ}笑_{ㄒㄧㄠ}，
什_ㄕ麼_{ㄇㄜ}都_{ㄉㄡ}沒_{ㄇㄟ}說_{ㄕㄨㄛ}的_{ㄉㄜ}就_{ㄐㄧㄡ}走_{ㄗㄡ}開_{ㄎㄞ}……
他_{ㄊㄚ}才_{ㄘㄞ}不_{ㄅㄨ}會_{ㄏㄨㄟ}讓_{ㄖㄤ}啃_{ㄎㄣ}啃_{ㄎㄣ}毀_{ㄏㄨㄟ}了_{ㄌㄜ}他_{ㄊㄚ}美_{ㄇㄟ}好_{ㄏㄠ}的_{ㄉㄜ}一_ㄧ天_{ㄊㄧㄢ}呢_{ㄋㄜ}！

第二天早上，波奇越看越喜歡自己身上的刺，
於是他決定把刺裝飾得更加閃耀。

朋友們都驚喜的圍繞在波奇身旁。

「真希望我身上也有刺！」啃啃羨慕的說。

親子共讀小叮嚀

第 1 個好習慣：主動積極——做自己的主人！

記得我的小女兒也曾經不想去上學，因為學校裡有些女孩取笑她的雀斑；我的兒子也曾經很在意他的耳朵，因為他有個朋友叫他「小飛象」。事實上，我們的孩子三不五時可能會聽到別人批評他們。我們沒辦法阻止這種事情發生，可是我們可以教導他們，讓他們知道自己其實可以選擇——他們可以選擇讓那些無禮的批評毀了他們這一天，或是轉念一想忽略這些無禮的話，用積極的自我對話來取代並肯定自己。這麼做並不代表批評不傷人，它們永遠都很傷人，只是我們不必相信這些批評，或者讓這些批評傷害我們。學習成為自己心情的主人、好好掌控自己的「天氣」是生命中最大的挑戰之一，即便對成人也是如此。然而我們每一個人都該學會做自己的主人、好好掌控自己的生命，這正是7個好習慣中「主動積極」的重要展現，也是孩子們應該養成的第一個好習慣：我們無法控制別人對我們說什麼、做什麼，可是我們可以控制自己的回應，這才是真正重要的事。正如羅斯福總統夫人所言：「只要你不同意，沒有任何人能讓你覺得自己不如人。」

這個故事讓我們明白，生活中難免會遇到像哨哨這樣的人，有時候就連親近的朋友都有可能會說出傷人的話。儘管如此，我們可以選擇要被這樣的話擊倒，或是像鴨子甩掉背上的水那樣，甩開傷人的話。故事最後，波奇做了很棒的選擇，他沒有聽信哨哨，而是選擇聆聽朋友們的話，相信自己內心的話語。

一起來討論

1. 波奇為什麼傷心？

2. 為了讓波奇心情好一點，波奇的朋友們做了什麼？

3. 波奇為什麼重新喜歡上自己身上的刺呢？

4. 第二天，水獺啃啃又在學校取笑他的刺時，波奇有什麼回應？

5. 故事最後，啃啃喜歡波奇身上的刺嗎？啃啃為什麼改變想法呢？

6. 有任何人曾經說了什麼話、傷了你的心嗎？你怎麼回應呢？誰可以決定你是快樂還是傷心？

你可以這樣做！

1. 下次如果有人取笑你，露出微笑，然後走開，就跟波奇一樣。

2. 你喜歡自己的什麼特質，說出三項吧。

3. 跟你的爸爸媽媽分享你希望自己能進步的事，比如畫圖，或是刷牙。

4. 如果你傷了某個人的心，像是某位朋友，或是你的兄弟姊妹，一定要記得跟他們道歉唷。